PALOMA BLANCA

Ilustrações: PAULA KRANZ

E SE EU SENTIR...

FELICIDADE

Ciranda na Escola

Dados Internacionais de Catalogação na Publicação (CIP) de acordo com ISBD

B236f   Barbieri, Paloma Blanca Alves

           Felicidade / Paloma Blanca Alves Barbieri ; ilustrado por Paula Kranz. — Jandira, SP : Ciranda Cultural, 2021.
           32 p. : il. ; 24cm x 24cm. — (E se eu sentir...)

           ISBN: 978-65-5500-523-3

           1. Literatura infantil. 2. Emoções. 3. Sentimentos. 4. Felicidade. I. Kranz, Paula. II. Título. III. Série.

2020-2536   CDD 028.5
                                                      CDU 82-93

Elaborado por Vagner Rodolfo da Silva - CR-8/9140

Índice para catálogo sistemático:
1. Literatura infantil 028.5
2. Literatura infantil 82-93

Este livro foi impresso em fonte Melon Slices e Metallophile em outubro de 2022.

Ciranda na Escola é um selo da Ciranda Cultural.

© 2021 Ciranda Cultural Editora e Distribuidora Ltda.
Texto: © Paloma Blanca A. Barbieri
Ilustrações: © Paula Kranz
Revisão: Ana Paula de Deus Uchoa
Produção: Ciranda Cultural

1ª Edição em 2021
4ª Impressão em 2022
www.cirandacultural.com.br
Todos os direitos reservados. Nenhuma parte desta publicação pode ser reproduzida, arquivada em sistema de busca ou transmitida por qualquer meio, seja ele eletrônico, fotocópia, gravação ou outros, sem prévia autorização do detentor dos direitos, e não pode circular encadernada ou encapada de maneira distinta daquela em que foi publicada, ou sem que as mesmas condições sejam impostas aos compradores subsequentes.

As emoções são as cores da alma. São espetaculares e incríveis. Quando você não sente, o mundo fica opaco e sem cor.
William P. Young

Dedico este livro à minha gigantesca família (em especial, à minha mãe, Creusa), que me proporcionou e ainda proporciona as mais lindas e diferentes emoções!

DO INÍCIO ATÉ O FIM DO DIA, EU SINTO UM TURBILHÃO DE SENTIMENTOS.

DE TODOS ELES, O MEU PREFERIDO É A **FELICIDADE**!

QUANDO ESTOU FELIZ, MEU CORAÇÃO SE AQUECE COMPLETAMENTE.

EU NEM CONSIGO ESCONDER ESSA EMOÇÃO, POIS MEUS OLHOS BRILHAM E EU FICO TODO SORRIDENTE.

QUANDO FAÇO UM NOVO AMIGO, MEU CORAÇÃO TAMBÉM SE ENCHE DE ALEGRIA.

AFINAL, É TÃO BOM TER ALGUÉM PARA COMPARTILHAR BRINCADEIRAS...

... AVENTURAS, E

É CLARO, MUITAS TRAVESSURAS!

EXISTEM MOMENTOS QUE ME DÃO TANTA FELICIDADE QUE EU SEMPRE QUERO COMPARTILHÁ-LOS.

COMO A CHEGADA DE UM NOVO MEMBRO À FAMÍLIA.

E TAMBÉM MEU ANIVERSÁRIO!
SURPRESA!

SEMPRE QUE ALGUÉM FAZ CÓCEGAS EM MIM, PARECE QUE A FELICIDADE VAI SAIR DO MEU PEITO.

ISSO TAMBÉM ACONTECE QUANDO BRINCO DE PEGA-PEGA, ESCONDE-ESCONDE OU ANDO DE BICICLETA.

QUANDO ESTOU FELIZ, EU SINTO VONTADE DE CANTAR, PULAR E DANÇAR.

UM SENTIMENTO TÃO BOM ASSIM FICA MELHOR AINDA SE FOR COMPARTILHADO!

PARA MIM, A FELICIDADE É A EMOÇÃO MAIS EXTRAORDINÁRIA DE TODAS. ELA FAZ BEM PARA QUEM SENTE E TAMBÉM PARA QUEM ESTÁ EM VOLTA DA GENTE.

COMO VOCÊ SE SENTE HOJE?

FALE UM POUCO SOBRE O QUE VOCÊ ESTÁ SENTINDO AGORA.

FALANDO SOBRE A FELICIDADE

Sentir felicidade é tão bom que não tem contraindicação. Vamos refletir um pouco sobre esse sentimento?

- O que deixa você feliz?
- Como você fica quando está assim?
- Quando foi a última vez que você se sentiu feliz?
- Como era a sensação?

Você sabia que a felicidade é um sentimento que pode ser atraído? Isso mesmo! Quando fazemos o que gostamos, estamos perto das pessoas que amamos e somos gentis e bondosos com os outros, atraímos para a nossa vida as melhores emoções. Ter pensamentos felizes e falar sobre coisas boas são ótimas maneiras de atrair a felicidade também. Que tal repetir as afirmações a seguir e trazer ainda mais alegria para os seus dias? Vamos lá!

- Eu sou muito feliz!
- Eu sou feliz porque tenho uma família maravilhosa!
- Eu sou bom, eu sou gentil, eu sou feliz!
- Eu sou feliz porque sou muito amado!

CRIANÇAS, ANIMAIS E SENTIMENTOS

Toda criança se sente fascinada pelos animais de estimação, e não é para menos, pois, além de serem queridos, bons amigos e trazerem muita alegria para o lar, eles melhoram a saúde e trazem uma deliciosa sensação de bem-estar.

Conviver com um animal de estimação, seja um gatinho, um cachorro ou um coelho, pode ensinar às crianças valores muito importantes, como paciência, respeito, gentileza, afetividade e responsabilidade.

Sendo os animais seres que não têm nenhum tipo de preconceito ou maldade, as crianças encontram neles a confiança e a autoestima de que precisam para solucionar seus conflitos e, inclusive, lidar com seus próprios sentimentos.

UM RECADO PARA A FAMÍLIA

A descoberta dos sentimentos pode ser um momento surpreendente e difícil para as crianças, principalmente porque nem sempre elas sabem como expressar o que estão sentindo. Por isso, a proposta deste livro é mostrar aos pequenos como e quando o sentimento da felicidade aparece e o quanto é importante vivenciá-la em todos os momentos.

Nesse processo de descoberta das emoções, a família e os educadores são convidados a enxergar o sentimento da felicidade sobre um outro olhar: o da criança! Afinal, os pequenos têm uma visão única e especial sobre tudo o que acontece à sua volta.

Lidar com alguns sentimentos não é nada fácil, seja para o adulto, seja para a criança. Por isso, quanto mais cedo os pequenos entenderem suas emoções, mais rapidamente eles desenvolverão autonomia e confiança, habilidades essenciais para trilhar essa incrível jornada que todos compartilhamos: a vida!

PALOMA BLANCA nasceu em uma cidade litorânea de São Paulo. Apaixonada pela linguagem, decidiu se formar em Letras e se especializar em Tradução e Ensino. Ela sempre gostou de escrever, desde criança; em suas histórias e poesias costumava falar sobre tudo o que sentia, pois, na escrita, encontrou a oportunidade perfeita para descobrir e compreender seus sentimentos. Escrever este livro foi um verdadeiro presente, que ela quer compartilhar com todas as famílias, especialmente com as crianças, que (assim como ela, em sua infância) desejam aprender a lidar com esse turbilhão de emoções que surge ao longo da vida.

PAULA KRANZ é mãe de duas lindas meninas. Logo que se tornou mãe, diversos sentimentos invadiram seu coração. E teve a oportunidade de transformar todo o medo, a tristeza, a raiva e a imensa felicidade que sentiu em sensações que a fizessem crescer como pessoa. Assim, junto de suas meninas, voltou a viver nesse mundo lúdico da infância. Nos últimos anos, além de brincar de comidinhas, poços de areia e desenhar garatujas, se especializou em livros infantis; e lá se foram diversos livros publicados com os seus desenhos. Cada vez mais está repleta de sonhos e de vontade de mostrar a delicadeza e a leveza da infância, ilustrando a magia, o brilho nos olhos e a forma única de ver o mundo que as crianças compartilham todos os dias conosco.